Monsieur
JOYEUX

Collection MONSIEUR

MONSIEUR   MADAME

Monsieur JOYEUX

Roger Hargreaves

hachette
JEUNESSE

Chaque matin,
monsieur Joyeux se réveillait
de joyeuse humeur.

Il était tellement joyeux
d'avoir dormi avec son petit chapeau !

À vrai dire,
il ne quittait jamais son petit chapeau.

Ni le matin dans sa cuisine.

Ni le soir dans sa baignoire !

Quand il pleuvait,
il ne le quittait pas davantage.

Ah, ça non !

Car il se disait :

– Mon petit chapeau
me protège bien mieux
qu'un parapluie.

Quand il y avait du soleil,
il le gardait aussi.

Ah, ça oui !

Car il se disait :

– Mon petit chapeau
me protège bien mieux
qu'un parasol.

Ce jour-là, comme d'habitude,
monsieur Joyeux alla se promener
avec son petit chapeau sur sa tête.

Sur son chemin, il vit des marguerites.

– Bonjour, mes jolies ! leur dit-il.
Vous n'avez pas de chapeau
et pourtant, que vous êtes mignonnes !
Les marguerites lui répondirent par un sourire.

Ensuite, monsieur Joyeux rencontra
monsieur Rigolo
qui lui fit, bien sûr
une grimace très rigolote.

– Votre chapeau est aussi rigolo
que votre grimace ! Bravo !
le complimenta monsieur Joyeux.

Et monsieur Rigolo s'en alla,
fou de joie.

Monsieur Joyeux aussi.

Cent mètres plus loin,
il croisa madame Beauté.

– Bonjour, madame Beauté ! dit-il.
je me fais une joie de vous annoncer
que vous avez le plus grand,

le plus beau,

le plus superbe,

le plus magnifique,

le plus exceptionnel des chapeaux !

– En effet, répliqua madame Beauté
en relevant très haut le nez.

Mais vous, vous ne savez pas soulever
votre chapeau pour saluer les dames.

Monsieur Joyeux rougit.

Mais il ne souleva pas pour autant
son petit chapeau.

– Quelle honte !
s'écria madame Beauté.

Mais pourquoi refusez-vous
de soulever votre chapeau ?

– C'est parce que
sans mon petit chapeau,
je ne suis pas très beau,
et ça me rend tout triste,
avoua monsieur Joyeux.

– Ah bon ? Faites voir !
demanda madame Beauté.

Monsieur Joyeux fit voir.

Et madame Beauté sourit.

Sais-tu pourquoi?

Parce que monsieur Joyeux
avait en tout et pour tout
trois cheveux sur la tête !

Quand monsieur Joyeux
vit le sourire de madame Beauté,
il pensa joyeusement :

– Si elle sourit,
c'est que je suis beau
sans mon petit chapeau !

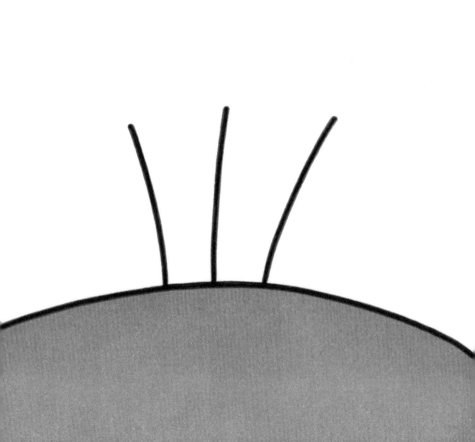

Depuis ce jour,
monsieur Joyeux n'hésite plus à soulever
son petit chapeau
pour saluer les dames,
et même les messieurs.

Ça le comble tellement de joie
de faire sourire tout le monde !

Le sais-tu?

Depuis ce jour aussi,
tout le monde se fait une joie
de le rencontrer
et de lui dire…

– Chapeau, monsieur Joyeux !

RÉUNIS VITE LA COLLECTION ENTIÈRE

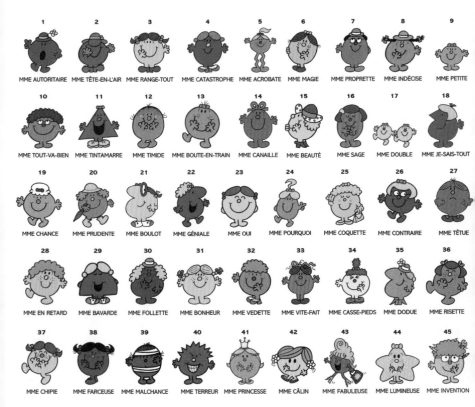

1	2	3	4	5	6	7	8	9
MME AUTORITAIRE	MME TÊTE-EN-L'AIR	MME RANGE-TOUT	MME CATASTROPHE	MME ACROBATE	MME MAGIE	MME PROPRETTE	MME INDÉCISE	MME PETITE

10	11	12	13	14	15	16	17	18
MME TOUT-VA-BIEN	MME TINTAMARRE	MME TIMIDE	MME BOUTE-EN-TRAIN	MME CANAILLE	MME BEAUTÉ	MME SAGE	MME DOUBLE	MME JE-SAIS-TOUT

19	20	21	22	23	24	25	26	27
MME CHANCE	MME PRUDENTE	MME BOULOT	MME GÉNIALE	MME OUI	MME POURQUOI	MME COQUETTE	MME CONTRAIRE	MME TÊTUE

28	29	30	31	32	33	34	35	36
MME EN RETARD	MME BAVARDE	MME FOLLETTE	MME BONHEUR	MME VEDETTE	MME VITE-FAIT	MME CASSE-PIEDS	MME DODUE	MME RISETTE

37	38	39	40	41	42	43	44	45
MME CHIPIE	MME FARCEUSE	MME MALCHANCE	MME TERREUR	MME PRINCESSE	MME CÂLIN	MME FABULEUSE	MME LUMINEUSE	MME INVENTION

DES **MONSIEUR MADAME**

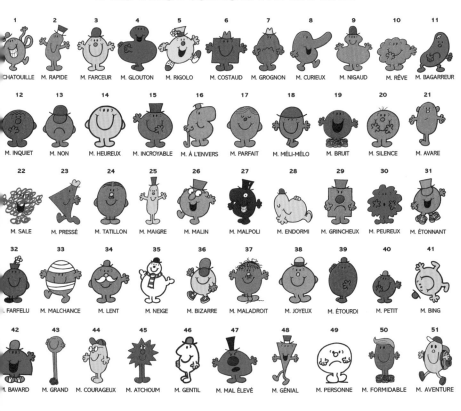

1 CHATOUILLE	2 M. RAPIDE	3 M. FARCEUR
4 M. GLOUTON	5 M. RIGOLO	6 M. COSTAUD
7 M. GROGNON	8 M. CURIEUX	9 M. NIGAUD
10 M. RÊVE	11 M. BAGARREUR	
12 M. INQUIET	13 M. NON	14 M. HEUREUX
15 M. INCROYABLE	16 M. À L'ENVERS	17 M. PARFAIT
18 M. MÉLI-MÉLO	19 M. BRUIT	20 M. SILENCE
21 M. AVARE	22 M. SALE	23 M. PRESSÉ
24 M. TATILLON	25 M. MAIGRE	26 M. MALIN
27 M. MALPOLI	28 M. ENDORMI	29 M. GRINCHEUX
30 M. PEUREUX	31 M. ÉTONNANT	32 M. FARFELU
33 M. MALCHANCE	34 M. LENT	35 M. NEIGE
36 M. BIZARRE	37 M. MALADROIT	38 M. JOYEUX
39 M. ÉTOURDI	40 M. PETIT	41 M. BING
42 M. BAVARD	43 M. GRAND	44 M. COURAGEUX
45 M. ATCHOUM	46 M. GENTIL	47 M. MAL ÉLEVÉ
48 M. GÉNIAL	49 M. PERSONNE	50 M. FORMIDABLE
51 M. AVENTURE		

Retrouve tous tes héros sur
www.hachette-jeunesse.com

Conception et réalisation : Viviane Cohen
Illustrations : Colette David
Scénario : Viviane Cohen et Évelyne Lallemand
Texte : Évelyne Lallemand

Édité par Hachette Livre, 58 rue Jean Bleuzen 92178 Vanves Cedex.
Dépôt légal : février 2004
Loi n° 49- 956 du 16 juillet 1949 sur les publications destinées à la jeunesse.
Imprimé par Canale Bucarest en Roumanie.